L'Halloween de Sami

Texte de Mary Labatt

Illustrations de Marisol Sarrazin

Texte français d'Isabelle Allard

Catalogage avant publication de la Bibliothèque nationale du Canada

Labatt, Mary, 1944-
[Sam's first Halloween. Français]
L'Halloween de Sami / Mary Labatt ; illustrations de Marisol Sarrazin ;
texte français de Isabelle Allard.

(J'apprends à lire)
Traduction de: Sam's first Halloween.

ISBN 0-439-97508-5

I. Sarrazin, Marisol, 1965- II. Allard, Isabelle III. Titre.
IV. Collection.

PS8573.A135S2514 2003 jC813'.54 C2003-901419-3
PZ23

Conception graphique : Stacie Bowes et Marie Bartholomew

Édition publiée par les Éditions Scholastic, 175 Hillmount Road, Markham (Ontario) L6C 1Z7, avec la permission de Kids Can Press Ltd.

6 5 4 3 2 Imprimé en Chine 05 06 07 08

Joanne et Bob reviennent à la maison

avec un objet orange.

– C'est une citrouille pour l'Halloween,

dit Bob.

Joanne découpe un visage dans

la citrouille.

Bob met des bonbons dans un bol.

« Hum, pense Sami. Qu'est-ce que c'est, l'Halloween? »

Quelqu'un sonne à la porte.

C'est un fantôme.

Joanne apporte le bol de bonbons.

« Bonne idée, pense Sami. J'aime

les bonbons. »

Joanne donne des bonbons au fantôme.

« Et moi? » pense Sami.

– Ouaf! dit Sami.

Elle renifle le bol de bonbons.

Joanne ne donne pas de bonbons

à Sami.

Un vampire et un robot se présentent

à la porte.

Une coccinelle est derrière eux.

Sami s'assoit à côté de Bob.

– Ouaf! dit-elle.

Bob ne donne pas de bonbons à Sami.

Une fée et un monstre se présentent
à la porte.

Sami met son museau dans
leurs sacs de bonbons.
– Non, Sami! dit Joanne.

Joanne donne des bonbons à la fée

et au monstre.

Personne ne donne de bonbons à Sami.

Sami saute pour atteindre les bonbons.

– Ouaf! dit-elle. Ouaf! Ouaf!

Bob ne la regarde pas.

Sami se laisse tomber par terre.

« C'est l'Halloween pour les enfants.

Pourquoi pas pour moi? »

On sonne à la porte.

C'est une sorcière et un lion.

Joanne donne des bonbons à la sorcière et au lion.

« Oh, non! pense Sami. Les enfants vont prendre tous les bonbons! »

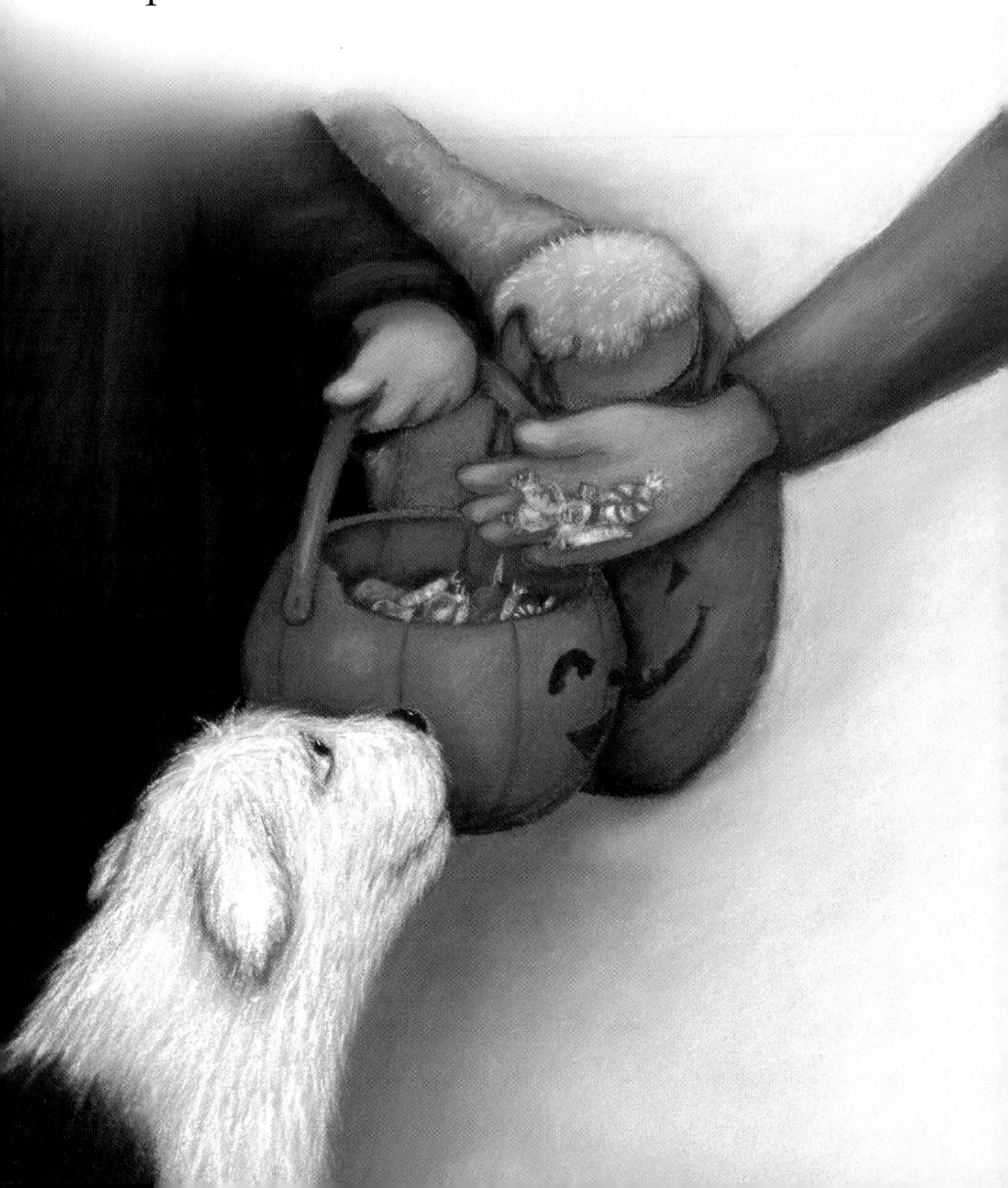

– Grrrr! dit Sami.

Elle saute pour atteindre

les bonbons.

« C'est l'Halloween! pense-t-elle.

Je veux des bonbons! »

Sami regarde les bonbons.

« Je sais comment avoir des bonbons! pense-t-elle. Je vais me déguiser comme les enfants. »

Sami court à la salle de bain.

Elle tire une serviette avec ses dents.

« Bon, pense Sami. Je suis un fantôme.

Maintenant, je peux avoir des bonbons. »

On sonne à la porte.

Sami court vers la porte.

« Voici un fantôme, pense-t-elle.

Le fantôme veut des bonbons! »

Une princesse et un pirate sont

à la porte.

Un tigre est derrière eux.

Sami court se cacher derrière la princesse.

Joanne donne des bonbons aux enfants.

Sami sort de sa cachette.

– Ouaf! dit Sami.

« Je suis un fantôme, pense-t-elle.

Le fantôme veut des bonbons! »

– Sami! dit Bob.

– Qu'est-ce que tu fais là? demande Joanne.

– Elle veut des bonbons! dit le tigre.

– Ouaf! dit Sami. Ouaf! Ouaf!

Joanne et Bob rient.

La princesse et le pirate rient.

Le tigre rit, lui aussi.

« Qu'est-ce qu'il y a de drôle? se demande Sami. Je veux des bonbons! »

– Les bonbons, ce n'est pas pour les chiots, dit Bob.

Sami se laisse tomber par terre.

« Les chiots aiment les bonbons, eux aussi! » pense-t-elle.

– Pauvre petit chien, dit la princesse.

– Pauvre petit chien, dit le tigre.

– Je peux lui donner mes bonbons, dit le pirate.

Joanne et Bob se regardent.

– Bon, mais seulement un, dit Joanne.

Le pirate donne un bonbon à Sami.

« Miam, miam! pense Sami. J'aime

l'Halloween! »

« J'aimerais que ce soit l'Halloween tous les jours! »